導讀文字：金　朝

繪　圖：李成立

萬里機構・萬里書店出版

編輯：莊澤義・王淑萍
書名題簽：黃　天

⑥「古書今讀」之《漫畫三國演義》系列
劉備取西川

導讀文字
金　朝

繪　圖
李成立

出版者
萬里機構・萬里書店
香港九龍土瓜灣馬坑涌道5B-5F地下1號
電話：25647511
網址：http://www.wanlibk.com
電郵地址：wanlibk@enmpc.org.hk

發行者
萬里機構營業部
香港九龍土瓜灣馬坑涌道5B-5F地下1號
電話：25623879　　傳真：25909385

承印者
美雅印刷製本有限公司

出版日期
一九九五年七月第一次印刷
一九九九年八月第五次印刷

ISBN 962-14-0948-9

古書今讀叢書

我們的國家，有著數千年的文明。這數千年的文明，用各種各樣的方式記載下來，我們在神州大地上遊覽，為甚麼腳步不時會不由自主地再三猶疑，不忍遽然離去？那就是因為，中華民族的數千年文明以各種面貌出現在我們的跟前，或者是肅立的一個亭子，或者是既流動又凝固了的書法，或者是一彎雖然已經老去卻仍在努力的小橋，甚至，那不過是一塊不起眼的殘片，只是，對我們來說，這已經足夠。

我們當然不會忽略書籍這樣的一種載體。能夠一直流傳下來的老書，就是古書了。古書，我們不會嫌多；事實上，流傳下來的古書也是不多的。這事情裏面，有著一種必然，那是大浪淘沙的必然。大浪，沒有把一切都淘空淘盡，而且讓我們曉得了，甚麼是值得好好珍惜的寶貝。

文明與智慧同在，文明也與寬容同在。時間的流灑，是一種滋潤，使我們的寶貝愈發有著動人的光澤，愈是親炙這樣的寶貝，我們便愈是容光煥發。「古書今讀叢書」出版的目的，便是希望藉著這套叢書的出版，使更多的讀者能親炙這樣的寶貝，得到不同程度的潤澤。由於種種原因，今人讀古書，會有這樣那樣的困難，成為一種阻隔，所以我們以導讀文字輔以漫畫的方法，構築成一彎「拱橋」，讓讀者能愜意地走過去，只要一伸手，就可以觸及那光澤。毫無疑問地，構築這樣的一道「拱橋」，是一項大工程。我們不希望曲解古書，也不要隨意或任意的所謂闡釋，但與此同時，又要於讀者有用，因為這樣，工夫就多了。工夫雖然多，我們樂於這樣去做，同時深願讀者也樂於見到這套叢書的出版，甚麼時候，也為這「拱橋」鼓鼓掌。

出版說明

劉備取西川

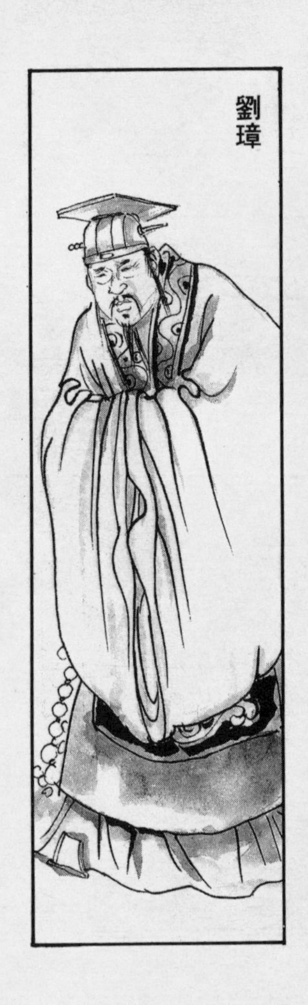

黃忠
魏延
馬超

《三國演義》主要人物

名、字、號簡表

名	字	號，以及書中對他的其他稱呼
劉備	玄德	劉皇叔、劉豫州、先主
關羽	雲長	美髯公、漢壽侯
張飛	翼德	
董卓	仲穎	董太師
呂布	奉先	呂溫侯
曹操（小名：阿瞞）	孟德	老瞞、曹老瞞
孫策	伯符	小霸王
孫權	仲謀	碧眼兒
徐庶	元直	
諸葛亮	孔明	伏龍、卧龍先生、武鄉侯
趙雲	子龍	
魯肅	子敬	
周瑜	公瑾	周郎、周都督
黃蓋	公覆	
龐統	士元	鳳雛先生
張遼	文遠	
魏延	文長	
黃忠	漢升	
馬超	孟起	
楊修	德祖	
司馬懿	仲達	
龐德	令明	
呂蒙	子明	
陸遜	伯言	
曹丕	子恒	
姜維	伯約	
劉禪	小字阿斗，公嗣	後主
廖化	元儉	
鍾會	士季	鍾司徒
鄧艾	士載	

目　次

一

張松獻地圖

欲擒先縱，後發制人

劉備好不容易才得到了荊州，但一來荊州是向孫權借來的，孫權常常想取回；二來北方有曹操的覬覦①，始終使劉備難於安枕。

以寬仁忠對抗急暴譎②

以形勢而論，劉備取西川已屬必然之舉了。西蜀地形險要，有利防守，此外，用張松的話，那兒是「沃野千里，民殷國富」，用龐統的話，則是「戶口百萬，土廣財富，可資大業」。取得西川，是極有利於劉備建立基業的。西川的劉璋儒弱無能，加上來自那兒的張松獻上軍事地圖和安排劉備入川，本來是大大地減少劉備取得西川的困難的，然而劉備卻自有他的考慮。

劉備與龐統商量的時候，說出了他的一番心事：「今與吾水火相敵者，曹操也。曹以急，吾以寬；操以暴，吾以仁；操以譎，吾以忠；每與操相反，事乃可成。若以小利而失信義於天下，吾不忍也。」我們要注意的是，這裏劉備所說的不忍，並非不忍心奪去劉璋的「江山」，而是不要破壞自己辛辛苦苦建立起來的形象。

正合了做大事的格局

說穿了，劉備的寬、仁、忠，這些曾經感動了不少

①覬覦：非分希冀。
②譎：詭詐，不正直。

人的東西，都是劉備要成大業的武器。這一點，劉備是很清楚的。那末，劉備的寬、仁、忠是不是攻無不克呢？也不是的，例如，劉璋聽了張松的話，要請劉備進來，以抗漢中張魯的入侵，劉璋的部屬便頗有不同的意見，有的說：「劉備柔中有剛，其心未可測，還宜防之。」有的則說：「劉備世之梟雄，先事曹操，便思謀害；後從孫權，便奪荊州。心術如此，安可且同處乎？」總的來說，這些人以為，劉璋那樣做，無疑是「迎虎於門」。

劉璋的這些部屬的說話，也未嘗不是沒有道理的。不過，劉備盯着曹操做事，以寬、仁、忠對抗曹操的急、暴、譎，也是有他的獨到之處。「每與操相反，事乃可成」，天地萬物，相生相剋，就如柔能制剛那樣。光以做事而論，即使那不過是一種手段，能夠達致寬、仁、忠，也是很不簡單的。寬厚、仁義、忠信，作為手段，要掌握得好，也絕對不是朝夕之功。而，劉備也不光是柔，他是柔中有剛，這正合了做大事的格局。

使張松自動獻出地圖

張松的地圖本來是要獻給曹操的，劉備注視着他的一舉一動，他去許都，孔明連忙派人去打探；後來，曹操的橫暴使張松改變了主意，沒有把藏在身上的地圖拿出來，劉備把握着這個機會，以上賓之禮接來了張松，後來更以寬、仁、忠感動了張松，使他自動獻出地圖，還要引劉備入川。其實，光是得到那張圖已經很好了，因爲，圖上面「盡寫着地理行程；遠近闊狹，山川險要，府庫錢糧，一一俱載明白」，這對劉備實在是太有用了，然而，在款待張松的整整三天中，劉備心有所圖，卻一直不提，甚至到了送別的一刻，他也能夠不露聲色。我們得說，這也是一種本事。

欲擒先縱，最後所得到的，往往會比我們預期的更多，可是，要做到這樣，對我們的要求也更高。等於後發制人，效果可能比先發制人的好，因爲可以看準了對方的弱點或空檔才出手，有可能一擊即中，然而，相對而言，難度也大。這難度在甚麼地方呢？一般的來說，這要對對手有充分的估計，對自己的能力也要有充分的估計，雖然是先縱，但對方實際上是在自己的股掌之中，有了這末一個前題，才可以後發，才可以後發而制得了人。

曹操計破馬超，驚動了漢中太守張魯。
曹操若侵犯漢中，怎麼辦？
只有先取下西川，才能全力對抗曹操！
好主意！
張魯立刻和弟弟張衛商量起兵之事。

消息傳到西川，益州州牧劉璋急召文武商議。
張松願憑三寸不爛之舌，說動曹操進剿張魯，解西川之危！
好！
張松暗藏了西川地圖，帶了重禮，到許都拜見曹操。
劉璋爲何連年不納貢？
路途艱難，常有盜賊搶劫，無法前來。

南有孫權，北有張魯，西有劉備，怎能說天下太平了呢？
我已掃清中原，哪還有甚麼盜賊？
曹操拂袖離去。
你們西川人不愛奉迎，難道我們中原人愛奉迎嗎？
我們西川人不善奉迎拍馬！
曹操手下人責怪張松沒有禮貌，一味頂撞。

丞相大才，曾著有兵法《孟德新書》，流傳後世……

請問尊姓大名？
主簿楊修！
張松看了一遍。
此爲戰國無名氏所作，我們西川連小孩都背得出，怎能稱「新書」？

這書尚未刊行，你這樣說太欺人了吧？
那我背給你聽！
張松從頭到尾背了一遍，竟隻字不錯。
你過目不忘，眞乃奇才也！

曹操下令將「孟德新書」燒掉。

楊修把情況告訴曹操
莫非古人和我暗合？
曹操在西校場閱兵，邀張松同觀軍威。

西川有如此雄壯的隊伍嗎？
沒有，我西川以仁義治人！

我大軍到處，
戰無不勝，
攻無不克，
你知道嗎？
知道。
像濮陽攻呂布，
赤壁遇周郎，
華容道逢關羽，
眞可謂天下
無敵！
放肆！
推出斬了！
經楊修、荀彧
相勸，曹操才
免了張松死罪，
亂棒打出。

我本想把西川獻給曹操，誰想他如此待我！我不如去荊州見劉備……
劉備熱情款待張松，張松倍受感動！
荊州東有孫權，北有曹操，不可久守。皇叔爲甚麼不去取西川？
劉璋和我同宗，我不能搶他的地盤。

我有西川地圖一幅，蜀中道路，一目了然！

蜀道艱難……
劉璋懦弱，皇叔不取，必爲他人所取！那時後悔就遲了！

他日事成，必當厚報！
我去聯絡好友法正、孟達作內應，請皇叔早日進取，以防變化。

張松見劉璋。
曹操非但不肯相助，還想攻打西川。

那怎麼辦？
劉備仁慈寬厚，又與主公同宗，何不請他入川相助？

這主意不錯！那派誰到荊州去呢？
可派法正前往。

於是，劉璋派法正到荊州去請劉備入川。

劉備留諸葛亮、關羽、張飛、趙雲守荊州，帶着龐統、黃忠、魏延向西川進發。
劉

劉備兵到涪城，
劉璋前來迎接。

劉璋設宴招待劉備，
一連歡聚數日。

劉璋請劉備駐兵
葭萌關，防備張魯。

二

截江奪阿斗

剎那間風雲色變

劉備入西川的消息很快讓東吳的孫權知道了，他便想趁着這個機會，奪回荊州。

孫權與吳國太的取捨

對孫權來說，這也確是一個極佳的機會。他的眼中也只看到了這個機會，可是，他的母親吳國太卻首先看到了她的女兒孫夫人。孫夫人還在荊州，孫權一旦起兵進攻荊州，孫夫人便有危險了。孫權向來孝順母親，母親不喜歡，他是不會勉强去做的。

在戰場上，要考慮各種各樣的因素。其中，人質這一條便是常常要考慮在內的。孫權早在劉備帶孫夫人回荊州的時候，便已經要不惜瞞着母親，即使殺掉孫夫人，也得把劉備攔截住的了，那次劉備和孫夫人得以安全脫身，很大程度上是由於孔明錦囊計的高妙；這次吳國太及時阻止，孫權又只得暗裏做手腳了。

一下子便可扭轉乾坤

孫權派出將兵五百人，均扮作商人，前往荊州，私自見着孫夫人，詐稱吳國太病重，請孫夫人速回之外，還把劉備七歲的兒子阿斗一起帶去。孫權的這個計策，是反客爲主，反被動爲主動，一下子便扭轉乾坤，孫夫

人既不會成爲人質，自己又得到了阿斗，大可以跟劉備討價還價，用阿斗來換取荆州。如果是這樣，則不必費一兵一卒，便討回了荆州。劉備只有一個兒子，視爲寶貝，倘若落在孫權手中，那末，他便會十分被動了。

萬一劉備眞的不理會阿斗的安危，孫權出兵荆州，也已經沒有後顧之憂了。

劉備喪妻後，阿斗就由孫夫人帶着，加上孫夫人聽得母親病重，亂了分寸，也便匆匆帶着阿斗，跟隨來人離去。

我們看到高手的作用

首先趕來攔截的，是趙雲。他只來得及帶上四五騎；後來更是獨自跳上吳兵的大船，但已經足以使「吳兵盡皆驚倒」了。昔日趙雲在百萬軍中，也能獨自救出阿斗，這一次幾乎是歷史重演。

趙雲當然知道，最關鍵的是奪回阿斗了。他一個人在水上力敵五百吳兵，對方固然不敢輕進，他在急切之間，也無法使船隻靠岸，後來還是張飛也趕來，才終於截得吳船。孫夫人因母親病重，以投江自盡相逼，趙雲和張飛只好放了孫夫人去，留下了阿斗。

這裏，我們再一次看到了趙雲和張飛的作用。事情那末危急，再要帶上大隊兵馬，是絕對來不及的了。有的時候，大隊兵馬就是比不上一兩個人；有的時候，就是要靠高手來解決問題。像趙雲那樣，他不必出手，光是憑着自己的威名，便已經能震懾吳兵了，況且，他的威名是靠眞本事得來的，在需要的時候，他完全可以拿出自己的本事，如把吳兵射來的亂箭都撥在水裏，又能以單劍分開吳兵的鎗搠①，同時跳上吳兵的大船，一瞬間便奪得阿斗了。

我們自己有沒有眞本事，有的時候，甚至在關鍵的時候，所看的，就是這一點。

①搠：音朔，刺殺。

劉備入川的消息傳到東吳。

顧雍，你想害我女兒嗎？

好計！
先出兵截斷劉備歸路，再發兵收復荊襄。

你有了八十一個州，還不滿足，連親妹妹也不顧了嗎？
母親教訓極是！

這次機會若失，何時才能收復荊州？

張昭獻計。
主公可暗地派人去見郡主，謊說國太病重，把郡主和阿斗先接回來。
劉備只有阿斗一個兒子，一定會用荊州來換取阿斗。
好計！

孫權派心腹家將周善帶五百軍士扮作商人，來到荊州。

國太病重，想你回去探望！
周善，你來幹甚麼？

皇叔帶兵遠出，我須通知軍師後，方能動身！

如軍師說要稟報皇叔，那就走不成了，還是快走吧。

孫夫人探母心切，帶着七歲的阿斗出城，上了船。

趙雲巡哨回來。
夫人帶着公子，出城去江邊了。
趙雲飛馬趕到江邊。
不好，趙雲來了，快開船！
主母，請慢點走！
風順流急，船順水而去！趙雲沿江追趕！
趙

趙雲追了十多里，看到江邊停着一隻空船。
小船追近大船。
放箭！
快追！

趙雲縱身躍上大船。

趙雲，你怎麼這樣無禮？

主母到哪裏去？爲何不告知軍師？
母親病重，時間緊迫。
哪你爲甚麼把小主人也帶走？
阿斗是我兒子，留在荊州，無人照管。

夫人要去便去，小主人一定得留下！

你只是帳下一名武將，怎能管我家事？
主母錯了，主公只有這點骨肉，請夫人留下小主人！

不留下小主人，我決不放夫人走！

你半路闖入船中，難道想造反嗎？

來人，把他趕出艙去！

趙雲推倒侍婢，從孫夫人懷中奪過阿斗。
啊——

船在江心行駛，我如何上岸呢？

糟了！中了東吳的詭計了！
趙雲正在發愁，下游又駛出一支船隊。

嫂嫂，留下我的侄兒。
原來是張飛聞訊而來。
叔叔爲何這樣無禮？
你找死！
嫂嫂私自回家，才是無禮！請跟我和子龍回荆州去吧！
啊！
周善提刀阻擋。

如逼死嫂嫂，怎向哥哥交待？不如護着阿斗過船去吧！
只能這樣了！
我母親病重，叔叔不放我回去，我便投江自盡！
我哥哥是當今英雄，嫂嫂如想着我哥哥的情份，請盡早回來！
張飛和趙雲回到自己船上，放孫夫人船離去。
張

船行數里，諸葛亮率大隊船隻迎接。

軍師，主母走了，阿斗奪回來了！

諸葛亮很高興，三人一起回到荆州。

諸葛亮立刻派人到葭萌關，把這事報知劉備！

三

濡須初戰

曹操有子如孫權的自困

孫權正要進軍荊州的時候，卻逢上曹操四十萬大軍壓境，以報赤壁之辱。這樣，孫權便先行屯兵地勢有利於自己的濡須，以抗曹軍。

曹操生子當如孫仲謀

曹操對孫權也是懷有戒心的。他進入東吳境內之後，便要看看孫權的軍容。在山上，他看見孫權的戰船「各分隊伍，依次擺列。旗分五色，兵器鮮明。當中大船上青羅傘下，坐着孫權。左右文武，侍立兩邊。」曹操是個軍事上的大行家，他自這個軍容，看得出孫權的軍隊是訓練有素的，也並無絲毫慌亂的跡象，這使他生出了「生子當如孫仲謀（孫權）」之嘆。

曹操起碼高出孫權一輩，如果要論輩分，那末，孫權就是他的子侄輩了。

對於這個輩分，曹操是很計較的。這一點，曹操是不自覺的，他也沒有及時省悟過來，這便做成他後來與孫權對陣時的被動了。

無知者老子天下第一

即使是做一般的事，也是對事不對人，目的就是能夠適當地處事，一旦捲入了其他因素，做不好持平，那

①挾天子以令諸侯：挾制天子，然後以天子名義調動諸侯。

末我們作決斷的時候便容易出現偏差了。曹操一句「生子當如孫仲謀」，那固然是他對孫權的欣賞，可是同時也暴露了他糊塗的地方。

反觀孫權，他在面對曹操的時候，也沒有怯於曹操的威名，更直斥曹操的「挾天子以令諸侯①」。不過，孫權要做到這一點，也並非太難的事；有的時候，輩分比較低的人，反而會是沒有顧忌的。當然，無知的人，更會目空一切，以爲老子就是天下第一。

孫權的直斥，更令曹操處於被動的局面。如果孫權對此沒有加以注意，那是有壞處的。

孫權八個字力退曹兵

接下來，曹操與孫權打了幾仗，互有勝負，然而，形勢對曹操來說卻是愈來愈惡劣的，因爲拖了下來，到了正月，「春雨連綿，水港皆滿，軍士多在泥水之中，困苦異常」，但是，曹操還是不願意退兵，爲甚麼呢？說穿了，就是「恐東吳恥笑」，「生子如孫仲謀」，成爲了曹操極大的包袱。

那末，曹操後來是怎樣退兵的呢？那是孫權給了他一封信，力陳利害，勸曹操退兵，這封信，最有力的，還是孫權在背後所批的八個字。曹操讀了這八個字，立即大笑道：「孫仲謀不欺我也。」接着便重賞來使，班師回朝。

那八個字是：「足下不死，孤不得安。」孤，是孫權的自稱，表面看來，「足下不死」，似是對曹操的不敬，然而，接下來的一句，卻是說明了孫權不能無視曹操的存在，也就是給了曹操面子，給了曹操下台的台階，於是，曹操也便下台了。

孫權那八個字的讀法

八個字，就使曹操退了兵，當然是遠比勞師動衆優勝了。我們最需要的，也就是這八個字。這八個字，應該讀成：覷準要害，一擊即中。我們不能說，孫權所批的八個字不必花力氣，這完全不是寫那八個字的筆劃多少，要花多少時間的問題。

覷準要害，得善於動腦筋，善於分析，只有這樣，才能把握要害之處。而，不能忽視的是，孫權親自上陣，與曹操正面交鋒，也是他思考的一個基礎。

孫權召集文武，商議奪取荊州之策。
議政殿

報！曹操率四十萬大軍南下，報赤壁之仇。
曹軍南下，我們怎麼辦？

不久東吳遷都秣陵，改名建業。
孫

主公可派人在濡須口築塢抵御。

兵來將擋，水來土掩，築甚麼塢？

呂蒙的意見很有道理，我立刻派人築塢。

幾萬軍士日夜趕築，剋期竣工。

不久，曹操兵到濡須。
曹
曹
曹
曹

生子當如孫仲謀，那劉表的兒子，只算豬狗罷了！
曹
曹

孫權率軍迎戰。

咚！
咚咚！
衝啊！
殺啊！

衝啊！
殺啊！
濡須塢中又衝出一軍。

不准退兵，頂住！

啊！孫權！
曹操在前面，殺！
東吳大將韓當、周泰殺向曹操。
許褚與韓、周大戰。
丞相快走！我來抵擋！

曹操重賞許褚。

以後臨陣逃退，一律斬首！

丞相不如退兵回許都，另作打算！
不！勝負未決，怎能退兵？

夜，吳兵劫寨，曹軍又大敗。
殺啊！

曹操夢見三輪紅日對峙。

江中紅日飛起，
墜於寨前山中。
轟隆——

怪夢！
備馬出寨！

曹操來到紅日所墜山邊觀望，卻見孫權率一簇人馬在山上。

你不尊王室，我奉命前來征討！
丞相爲何貪心不足，又來侵我江南？
上山活捉孫權，大大有賞。
虧你說得出口！誰不知你挾天子以令諸侯，我正要討伐你呢！

咚咚、咚咚

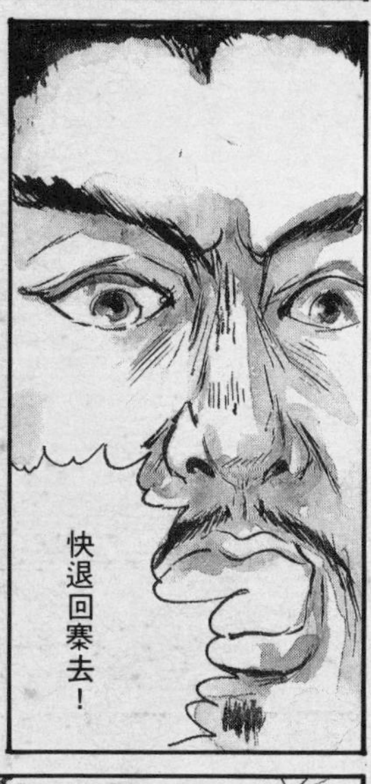
快退回寨去！

曹操，你往哪裏逃！

許褚大戰韓當、周泰，虎衛軍苦戰吳兵。
韓
許

丞相快回寨，我率虎衛軍抵擋。

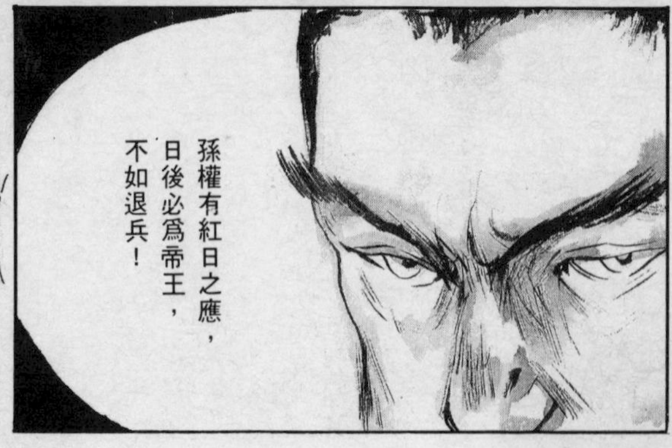
孫權有紅日之應，日後必爲帝王，不如退兵！

吳軍大勝，退回濡須塢。
東吳

兩軍又相持月餘，互有勝負。

目下春暖，正好相持，不可退兵！
退兵爲上。

如今春雨綿綿，軍士困苦不堪，怎麼辦？

報！東吳使者前來送信！

足下不死，孤不得安。
孫仲謀不欺我也！
足下不死，孤不得安。

曹操班師北還，我們趁劉備還在葭萌關，發兵去打荊州怎麼樣？

曹操當即下令班師。

孫權寫了兩封信，派使者分送兩處。

不行！我們一發兵，曹操一定復還。不如連結劉璋、張魯，讓他們夾攻劉備，我們從中取利……
好吧！

四

取涪關

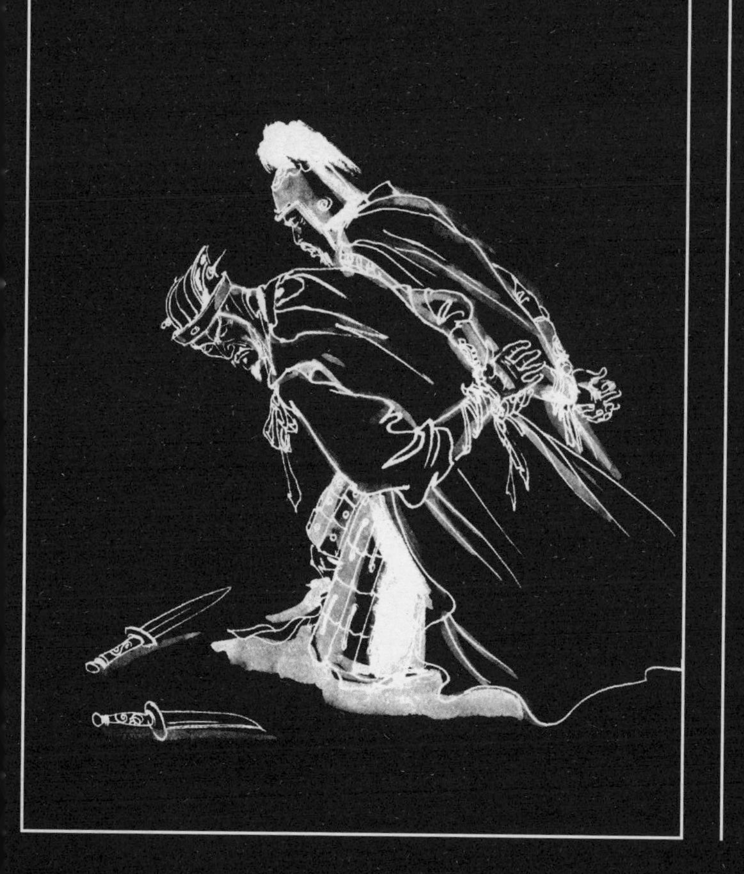

事情急轉直下的應變之道

劉備在西川得知曹操進軍東吳，便與龐統商量。龐統建議劉備向劉璋表示要回荊州，與孫權一起抗曹兵，希望劉璋能助以精兵三、四萬和軍糧十萬斛①，結果，劉璋所給的是老弱殘兵四千，另軍糧一萬斛。

進可攻退可守之良策

龐統那樣做，本來是進可攻退可守之策，倘若如願，則兵力大增，那當然好；倘不如願，也可以試出了劉璋的態度，早作打算。劉備入川，劉璋的態度是不可能始終如一的；倘若劉璋的態度變了，自己還不知道，但人在西川，那便是很吃虧的了。

結果，龐統這一試，便試出了劉璋的態度。試出了，龐統便可以謀對策，化被動為主動。想不到劉備卻對劉璋的使者大動肝火，自我暴露，把自己的「仁義為重」的臉孔給劃花了，這末一來，事情便急轉直下了。

大局已定不囿②於細節

這個時候，劉備便得急謀對策。因為，劉備少有大動肝火，劉璋只要推敲一下，便會知道是甚麼一回事。無論如何，劉備的動怒，是一個變數，會帶出一個變局。雖然，龐統便是再高明，也不可能把一切可能出現

①斛：古代十斗爲一斛。
②囿：音右，局限，限制。

的事都估計在內——況且這還是不必要的，大局已定，細節便不必再一一捕捉了，況且也未必有時間去一一捕捉。後來，張松由於以爲劉備眞的要回荊州，急了起來，便寫了一封信，勸劉備不要那樣做，豈料這封信卻給劉璋看到了，便殺了張松全家，接下來就是對付劉備。

其實，自劉備向劉璋請派援兵與贈軍糧開始，也便掀開了一個變局的序幕，這一點，龐統是心中有數的。便是張松那樣做和得到那樣的下場，這末一個細節即使不在龐統的估計之中，他也是應該不感到奇怪和不會因此而亂了手腳的，那就是由於：大局已定。

劉備低調子與高姿態

我們知道，龐統本來是極力主張速戰速決的，只是礙於劉備不同意；劉備動了火，他便向劉備獻上了上中下三條計策，上策是即取成都，下策是退回荊州，再作商議，中策是奪取西川之關隘要地涪城。

劉備取了中策，仍以回荊州爲幌子，途經涪城，向涪城的守將楊懷與高沛告別。楊高二人乃蜀中名將，他倆也要藉此機會刺殺劉備，向劉璋請功，因此便備了利刃，帶了隨行二百人，出關與劉備相見，伺機行事。

龐統的策略是，即使楊高二將不出關，也得强攻，奪得涪關；當然，楊高二將出關，那是最好的。結果是，劉備在款待楊高二將的時候，先下手爲强，命暗伏兩旁的人把他們殺了，然後宣佈楊高是因爲刺殺他，才給殺了的。劉備再擺出高姿態，赦免了楊高那二百名隨員，使他們先行，叫涪城守軍開門。劉備也就這樣得了涪關。

調動對方以配合自己

劉備設伏，殺了蜀中名將，既是震了自己的軍威，也同時削弱了劉璋的力量，一舉兩得，他得到了涪關，在西川也便有了自己的第一個據點，把這也算在內，那就是一舉三得了。

在事情急轉直下的時候，能作出正確的對策是很不容易的；身處變局，能早作籌謀，使自己得到主動，也是很不簡單的。我們更要看到的是，劉備是孤軍深入西川，儘管是有了張松的軍事地圖，也畢竟是「客」，要成事，除了自己適當地動了起來之外，還得調動對方，使對方能配合自己的步署，才容易見功。

龐統和劉備就是這樣做的。不容易做的事，他們做了，而且做得不錯。

這天，他接到諸葛亮的信，得知孫夫人已回東吳，曹操起兵伐吳，忙請龐統商議。

劉備在葭萌關約束軍士，嚴守關隘，很得民心。

劉備立刻派使者去向劉璋商借精兵四萬，軍糧十萬斛。

主公可說回援荊州，向劉璋借兵。他若不借，便乘機起兵責問。

劉璋卻只借給四千老弱殘兵、一萬斛軍糧。

劉備撕信。
我爲他抵禦敵人，費力勞心，他竟如此待我。

劉璋使者嚇得抱頭鼠竄而去！

主公這樣做，和劉璋的情誼就絕了。
那怎麼辦？

有三條計策，供主公選擇。
哪三條計？

立即起兵取成都，爲上策；誘殺楊懷、高沛，先取涪關，乃中策；回荊州再等機會，是下策！
取中策！

來者不善！你我身藏利刃，乘機刺死他！
劉備此行甚麼目的？

劉備立即以救荊州爲名，提兵來到涪水關，請楊懷、高沛出關作別。

妙計！

報！楊懷、高沛帶二百兵士出關送行！

關上來的兵士，一個也不要放回！
是！

聽說皇叔回荊州，特備薄酒送行！

多謝兩位將軍，請坐！

劉備藉口有機密事相商，把二百名隨行兵士全部趕出中軍帳！
劉封、關平持刀把兩人捉住綁起！
拿下！
搜出兩把匕首。
搜身！

你倆膽敢圖謀行刺，推出斬了！

你等引路去取涪關，各有重賞！
願聽號令！

劉備把二百兵士喚入。
楊懷、高沛藏刀行刺，罪在不赦。你等無罪，不必驚疑！

兩位將軍
回來了，
快開門！

關上守軍認得是自己人，
打開城門。

劉備兵不血刃，
得了涪關。

他們帶着劉備大軍，
向涪關進發。

五

黃魏爭功

怎樣的算盤才打得響

劉備取得涪關，便要繼續進軍，其下一個目標就是成都的前哨雒縣了。

左右紮營構成了腹地①

劉璋當然也知道雒縣是不可失的，所以派了泠苞、鄧賢等四將，領五萬大軍，駐守雒縣。後來，泠苞和鄧賢又分別率領二萬兵馬，在雒縣之前的左右兩處險要之地，紮下了兩個營寨，務使劉備不能兵臨城下。

兵臨城下，那便幾乎是沒有了餘地，自己變得十分被動了。

魏延為爭功不擇手段

劉備要取得雒縣，首先便得攻下泠苞和鄧賢的兩個營寨。劉備問衆將，誰可領此頭功？應聲而出的，是老將黃忠，可是另一將領魏延卻要爭功。

這樣的事，也是常見的，「一山不能藏二虎」，否則，「二虎」便會相鬥。要避免這樣的事，就得看用人者的本事了。

龐統命黃忠取泠苞的營寨，魏延取鄧賢的營寨，以先奪得者為勝。這本來是一個辦法，可是，魏延既與黃忠比早起，同時在行至半途的時候，又改變主意，要先

取泠苞的營寨，得勝後，再取鄧賢的，這就是說，要兩個營寨都爲自己所取得，把全部戰功都據爲己有。

魏延如意算盤不如意

可是，魏延的如意算盤並沒有打響，主要的一個原因，是魏延沒有早作準備，士兵都以爲，只是打一仗，魏延臨時改變主意，士兵便得連打兩仗了，加上沒有重賞，自然影響了鬥志；另一方面，由於魏延與黃忠鬥早起，二更便造飯，三更便起兵，士兵睡眠不足，還要走了半夜，人馬困倦，兩者加起來，便是嚴重的自我消耗。泠苞那邊，早就有伏路小軍通報消息，以逸待勞，殺得魏延大敗而逃，幸得黃忠的一枝軍隊也在這個時候趕來了，一箭射死了與泠苞合攻魏延的鄧賢，並殺退了泠苞。

劉備乘虛取了鄧賢的營寨，魏延則在半路埋伏，捉了落敗的泠苞，將功贖罪。

用人者最要知人善用

劉備能夠乘虛而入，那是由於龐統早料到黃魏二人會在路上相爭，建議劉備自領一枝軍隊在後策應的緣故。

用人者和知人善用。用人者如見黃忠與魏延相爭，因此而不用，是爲下策；如果只是分派他們各打一寨，不設監督，也是不能把人用好的，最後便可能因此而敗事。所以，對用人者來說，第一要知人，知道要用的人的本事、性格，簡單地說，就是知道所要用的人的長處和短處；與此同時，還得善用。倘若出了甚麼問題，最大的原因，往往是在於用得不好。這是用人者的責任。

一個地方夠不夠人材，許多時候，是和用人者懂不懂用人有關。用人者懂得用人，那便會有人材和留得住人材；否則，便反之。

仁義以減阻力得助力

劉備取得勝利之後，豎起了免死旗，除了不殺降兵外，降兵中如有眞的不願降者，可以回家，與父母妻子團聚。劉備這樣做，果然大得人心。總的來說，劉備的人力物力勢力等，都是處於弱的一方，即使是作爲手段，那樣做，也是對自己有利的。未能强大到足以懾人，施以仁義，起碼可以減少自己的阻力，甚至可以由此而得到助力呢！

劉備得了涪關，率軍向雒城進發。
誰去拿下冷苞、鄧賢寨子，建立頭功？
報！劉璋派劉璝、冷苞、張任、鄧賢四將守雒城，冷苞、鄧賢在城外六十里紮寨。
老夫願往！
劉備大喜，立刻發下令箭。

將軍年紀大了，不如把頭功讓給小將吧！
我已領將令，你怎麼敢爭？
魏延與黃忠相爭。

冷苞、鄧賢都是蜀中名將，只怕將軍不是敵手！

你竟小看我，敢同我比武嗎？
好！我跟你比，誰贏誰去！

你倆別爭了！黃忠去打冷苞營寨，魏延去打鄧賢營寨，先破寨的，便是頭功！

兩將領命出營。劉備隨後帶兵接應。
劉

當夜三更，魏延去劫冷苞營寨。
我不如悄悄去打冷苞營寨，那兩處功勞豈不都是我的？
冷苞早有準備。
川兵兩路夾攻，漢軍敗退。

不好，
中計了，
快逃！
鄧賢率軍截住
魏延去路。
魏延快下
馬投降。
魏延，
你死定
了！
啊喲—
魏延
馬失前蹄。

「嗖——」
箭中鄧賢咽喉。
啊！
黃
魏延見是黃忠救了自己，
滿臉羞慚離去。

冷苞縱馬殺來。
老將黃忠在此！

好厲害！快逃！

衝啊——殺啊——

冷苞棄了營寨，逃向鄧賢的營寨。

劉備已率軍乘虛取下鄧賢營寨。
冷苞，你往哪裏逃？

免死
劉備樹起免死旗，川兵紛紛投降。

冷苞竄進山間小路，往雒城奔逃。

冷苞，你逃不了啦！
魏延設下伏兵，活捉冷苞。

你雖有罪，此功可贖。
魏延押着冷苞來見劉備。

你快向黃將軍謝過救命之恩，以後不許爭功！

多謝老將軍相救！

你肯投降嗎？
劉備親自給冷苞鬆了綁

願降。我和劉璝、張任是生死之交，如放我回去，一定說動他們獻出雒城！
好！

冷苞回到雒城見劉璝、張任。
我殺了十幾個人，奪了匹馬逃了回來！

他們派人向劉璋告急。劉璋派長子劉循、妻舅吳懿、副將吳蘭、雷同來雒城相助。

兵臨城下，你們有何高見？

劉備營寨地勢很低，可決涪江水淹他！
好計！

當晚，冷苞帶兵前去掘堤決水。

不好！快退兵！

川兵自相踐踏，死傷無數。

劉備早有準備，魏延帶着伏兵殺來。

冷苞，你往哪裏逃？

沒幾個回合，冷苞又被魏延活捉。

吳蘭、雷同帶兵前來接應，被黃忠殺退。

我以義相待，你竟欺騙我，推出斬了！

劉備礪兵秣馬，準備攻取雒城。

六 落鳳坡

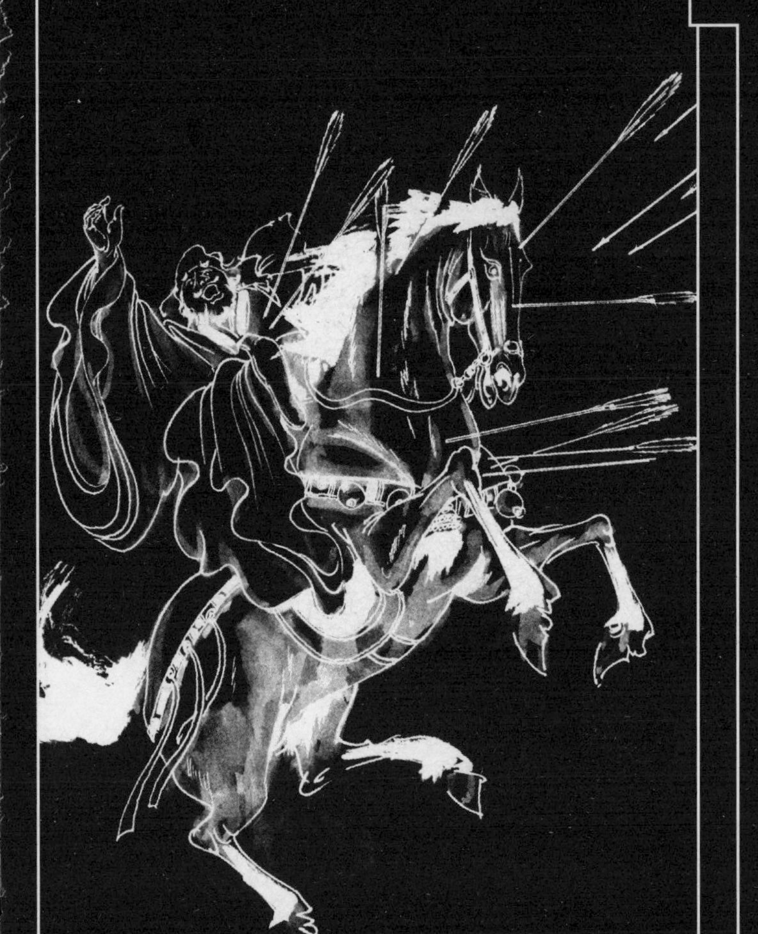

足智之士竟會一敗塗地

落鳳坡，說的是龐統（龐士元）陣亡的事。龐統之死，在孔明看來，是等於劉備「喪一臂」的。

不僅是軍事上的需要

龐統的長相不佳，孫權因此不喜歡，劉備也曾因此而不接受，派他去做一個小官，可是，孔明卻是向劉備力薦的——劉備後來重用龐統，也與此有關。

龐統與劉備入西川，孔明則留守荊州。一路上，龐統都主張速戰速決，不可拖延，這固然有他的道理，一旦拖了下來，劉璋起了變化，處處防着劉備，事情便難辦得多了；說到底，劉璋是主，劉備是客，後者只有殺個措手不及，才會有較大的機會，而且劉備手上還擁有張松所獻的軍事地圖，也就是擁有速戰速決的一個重要基礎。不過，另一方面，在龐統的心底裏，恐怕也是想藉着這個機會，能夠早日立下大戰功，以鞏固自己的地位，不要老是因爲有了孔明的推薦，劉備才重用自己。

千百年來困擾着我們

龐統有着這末一個想法，本來也是無可厚非的，特別是有眞本領的人，更容易產生這樣的念頭。有眞本領的人，就是要靠自己的眞本領闖天下，寄人籬下的日

子，是絕對不要過的。龐統昔日當個小官，上任後一直不務正事，只喝酒、睡覺，便反映了他不要過寄人籬下的生活。

孔明留在荊州，劉備入西川，建立自己的基業，主要靠的，就是龐統了；在龐統看來，這是他揚名立萬的最好機會，是絕對不能輕易放過的。他的急，力主劉備速戰速決，有軍事上的需要，但也有他個人的理由。

本來，我們做事，最好是能夠摒除個人的所有因素，這樣做，有利於我們理智地分析問題，把問題解決得好些。人，是理智的動物，但更是感情的動物，這大抵就是千百年來最困擾我們的東西了。我們恐怕都不能接受一個沒有感情的人，我們有的時候是需要感情的，感情能解決一切，能融化一切；可是，有的時候是需要理智的，只有理智來了，才能通行無阻。最大的問題是，我們常常不能恰切地讓感情和理智處於最適當的位置和使這兩者有着最適當的份量。

在上天註定以外尋找

像龐統這樣的足智多謀的人也做不到。我們不要把這看成是龐統的不足也便完事了，正確的態度是，我們都要以此爲自己的鑑戒。

在《三國演義》裏，對龐士元之死，夾雜了一些我們不易理解的描寫，如彭永言和孔明先後以觀天象所得對劉備發出了警告；龐統上陣前，他慣乘的坐騎把他掀了下來等等，似乎要說的是，龐統之死是上天註定了的。

是不是上天註定，我們這裏也不好多說，事實上，如果眞的是上天註定的話，我們也不必多說，因爲那是無庸置喙的。問題是，在龐統之死的這件事情裏，我們也能找到對我們有用的東西。

同一天象的不同理解

上面說過，龐統在西川的急，自有着其個人的理由；而，在某個程度上，他的急與軍事上所需要的速戰速決，是能夠結合起來的，但他做得不徹底，不能完全地結合。客觀上看，這無疑是有着一定的難度的，可是，對身處西川的龐統而言，這便給他帶來了殺身之禍。

我們首先說天象。從另一個角度看天象，我們是會得到一些有用的東西的。彭永言懂看天象，孔明懂得看天象，龐統也是懂得的。據說，古時帶兵的人，懂不懂得看天象，是能不能把兵帶好的一個標準。彭永言所看的天象和孔明所看的，是頗爲吻合的，他們有着頗爲接近的理解，然而，同一個天象，看在龐統眼裏，卻是有着完全不同的解釋的。這樣的一個出入，便很值得我們

①罡星：北斗星的柄。
②太白：即是金星。

細加斟酌了。

這裏所說的天象，其實是已經與天象無關的了。

罡星①在西而太白②臨頂

我們先看孔明給劉備的信：

亮夜算太乙數，今年歲次癸巳，罡星在西方；又觀乾象，太白臨於雒城之分：主將帥身上多凶少吉。切宜謹慎。

之前，彭永言也曾提出了類似的警告。

劉備讀了孔明的信，便要回荊州與孔明詳作商議，可是龐統卻一力反對，他說自己也算過太乙數和占過天文，卻是另有答案。他對劉備是這樣說的：

「統亦算太乙數，已知罡星在西，應主公合得西川，別不主凶事。統亦占天文，見太白臨於雒城，先斬蜀將泠苞，已應凶兆矣。主公不可疑心，可急進兵。」

蜀將泠苞，本降劉備，後來又答應替劉備招降西川的將領，作爲脫身之計，劉備便放走了他；後來在戰場上，他再被劉備活捉，劉備終於把他殺了。

絕對的標準也可歪曲

同一個天象，爲甚麼龐統有不同的理解呢？那主要是由於龐統以爲，孔明不喜歡他獨吞進軍西川的大功，所以在天象上做文章，使劉備改變主意，這樣，孔明便有機可乘了。

有關的天象本身，也許就沒有一個絕對的標準；也許加上了感情因素之後，有關的理解便會出現偏差。我們以爲，龐統的情況起碼是屬於後者。我們要注意的是，即使一些有着絕對的客觀標準的事物，只要有了感情因素，也便會出現不同的理解，使我們作出了錯誤的決定。

由於感情的因素愈來愈强，到了後來，龐統差不多是一意孤行，連劉備的意見都聽不進了，他甚至說出了劉備被「孔明所惑」、孔明「不欲令統獨成大功，故作此言以疑主公之心」的話。劉備說做了個惡夢，龐統說「心疑則作夢」。在我們看來，龐統對做惡夢的解釋，是有一定的道理的，但他對孔明的看法，卻是他的致命傷。

要看陰差陽錯的背後

龐統還說他「肝腦塗地，方稱本心」，如此爲劉備效命，使劉備也難以說話了。只是，我們都曉得，許多事情都不是不怕死就可以解決得了的。龐統那樣說，是頗有點兒意氣用事了，在他的位置而言，這是犯了大忌的。

龐統與劉備分道而行，進軍雒城，出發前，龐統慣乘的坐騎把他掀了下來，劉備便把自己的白馬讓給了他，結果人家便以爲龐統是劉備，在落鳳坡亂箭把龐統和那匹白馬給射死了。

龐統的死，也許是天意，也許不；不過，我們不要在這事情上糾纏，因爲即使是「成事在天」，但「謀事在人」，起碼龐統的死，與他這次的謀事失誤是大有關係的。在這一點上着眼，才是有普遍意義的。也是在這個意義上，我們可以說，龐統是死在自己的手上。

感情，有時竟可以使智謀一敗塗地！

幾天後，諸葛亮派馬良送信給劉備。

太白臨於雒城之分，主將帥身上多凶少吉。
我回荊州去和孔明商量一下。

依我看，取西川易如反掌，兵貴神速，請主公不必多疑。

這是孔明怕我取了西川，立了功，故意相阻。

龐統一再催促，劉備只得召集將佐，商議攻城之事。

法正，攻雒城有幾條路？

兩條。山北大路通東門，山南小路通西門。

主公和黃忠走大路，我和魏延走小路。
小路難走，還是我走小路。

大路一定有阻兵，主公可引兵攻擊，還是我走小路吧！

主公被孔明唬住了。他不願意我獨成大功，所以阻擋。主公儘管放心出兵！

孔明信中所說很有道理，我看還是暫緩進攻。

突然，龐統的馬失驚。

第二天，劉備、黃忠、龐統、魏延分頭率軍出發。
劉
黃

軍師用我的白馬吧！
多謝主公。

吳懿、劉璝等正議事。
報！劉備兵分兩路，來攻雒城。

山南小路很重要，由我去守。各位留守雒城。

好！就這樣辦！

張任點起三千人馬，來到山南林中埋伏。

放他過去，不必驚動，等劉備到來，再行襲擊。

不一會，魏延帶兵而來。
魏

好！準備好弓箭，聽我號令。
張將軍，那騎白馬的一定是劉備！

又過了一會，龐統領兵而來。
龐

這裏叫甚麼地名？
叫落鳳坡。

這裏地勢險惡，山路狹窄，萬一有伏兵，那就糟了。

我號鳳雛，這裏叫落鳳坡，對我十分不利！快退兵！

放箭！

轟！轟轟！

龐統死於亂箭之下。
龐

快！回兵援救！
報！軍師遇到伏兵……
魏

軍士前後擁塞，進退不得，死傷極多。
龐

山路狹窄，又有張任阻攔，無法回援。
魏

魏將軍，只能向前殺奔雒城，再從大路退回涪關！
好！

魏
吳
雷
魏延來到雒城西，吳蘭、雷同率兵迎戰。

張任又從背後殺來！
張
雷

雷
張
魏延力敵三將，漸漸有些不支。

文長，我來救你！
城中劉璝、吳懿又領兵殺出，劉備大敗。
劉備退回涪關。
士元，你死得太早了！
劉備沒了軍師，只得派關平去荊州，請諸葛亮進川。

七

義釋嚴顏

「心魔張飛」和「假張飛」

龐統的死，使劉備亂了手脚。他一方面堅守涪關不出，同時向孔明請救兵。

關雲長也只有一條命

孔明經過一番推敲，決定自己親自前往，並按照劉備的意思把守城的責任交予關雲長。關雲長表示：「大丈夫既領重任，除死方休。」孔明聽了，卻反而不放心，這就是因爲，他要的是關雲長解決問題，而不是要關雲長交出自己的生命。我們還記得龐統也說過「統肝腦塗地，方稱本心」的話，結果是龐統自己死了，留下了問題一大堆。

荊州北有曹操，東有孫權，兩者對荊州都是虎視眈眈，也是因爲這樣，劉備才要入西川以謀出路的。孔明問關雲長，如果曹操來攻，那怎辦？關雲長答「以力拒之」；孔明又問如果孫權同時來攻，那又如何？關雲長答「分兵拒之」。孔明所擔心的正是這個，他立即指出，如果關雲長這樣做，則荊州危矣。曹操與孫權，能力拒其一，已經很不容易，一旦分兵而拒之，確是不可想像了。

匹夫之勇成不了大事

孔明留下了這八個字給關雲長：北拒曹操，東和孫權。

在曹操和孫權兩者之間，劉備和孫權的關係是比較好的，起碼劉備是孫權的妹夫，有和好的基礎。只有這樣，才能解決問題。

我們常常要做的，就是解決問題，這首先不能意氣用事，動了意氣，那就不是要解決問題了。在這事情上，喜歡以死字作擔保的人，只是一介匹夫而已，是成不了大事的。

兩個張飛的交戰糾纏

孔明入西川，以張飛和趙雲領兵，目標是西川的重鎮雒城。張飛到了雒城之西的巴郡，巴郡太守嚴顏可以說是西蜀的黃忠，年紀雖大，但精力未衰，而且性烈，他的名言就是「但有斷頭將軍，無降將軍」。

不過，這位「斷頭將軍」雖然性烈，卻並不魯莽，而且懂得利用張飛的火爆脾氣，使張飛自我消耗，等於一個張飛跟另一個張飛糾纏，嚴顏便坐收漁人之利。一般而言，領軍之人即使再火爆，也得有一定程度的自律，這末一來，內心的交戰便多半會存在，如果再加以挑弄，那種交戰便會加劇了。嚴顏挑弄的辦法，就是閉門不出戰，任憑張飛怎樣叫罵也無動於衷。

眞假張飛擒斷頭將軍

後來張飛眞的弄出了另一個張飛來。

不過，這另一個張飛，不是「心魔」張飛，而是假張飛；卻因爲有了這個假張飛，使眞張飛立了功。

那是由於張飛見連日叫罵，嚴顏就是閉門不出，於是動了腦筋，便公開的說自己已經找到了一條可以繞過巴郡的小路，並且在夜晚偷偷的上路。嚴顏知道了，便領兵出城，在路旁埋伏。他看見張飛帶着大隊人馬走了過去，於是現身，要從背後偷襲，豈料走在前面的是個假張飛，眞張飛躲在後面，嚴顏才露面，便給眞張飛生擒了。

後來，張飛見嚴顏寧死不降，便尊敬有加，感動了「斷頭將軍」，結果爲張飛沿路招降，帶來了很大的順利。

其實張飛以前也曾吃過動腦筋的甜頭，只是他沒有繼續「牽藤摸瓜」，還是簡單處事的多。我們做事，多半是要一路的解決問題，明確了這一點，端正了自己的態度與想法，那便好辦得多了。

關平來到荆州，呈上劉備之信。
主公在涪關進退兩難，我必須快去。
你倆各率軍一萬，趙雲走水路，我隨後督軍；張飛走陸路，先到雒城爲頭功！
是！
你要牢記「北拒曹操，東和孫權」才可保住荆州！
我一定記住！
諸葛亮留關羽鎮守荆州。
張
張
第二天，兩支人馬同時發兵。

報！巴郡太守嚴顏不豎降旗。

張飛節節勝利，敵軍聞風即降。

你去見嚴顏，叫他早早投降，倘敢抗拒，攻破城池，他老命不保。

嚴顏是甚麼人？
他是蜀中有名的老將，善開硬弓；刀法嫻熟，有萬夫不當之勇！

軍士進城來見嚴須。
張將軍傳話說……

黑匹夫膽敢誇口，你回去告訴他，我嚴將軍決不投降。

割下他的耳朵，趕他出城！

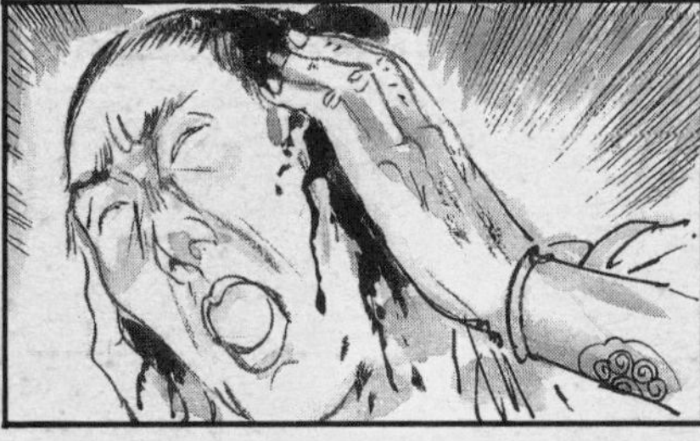

軍士抱頭出城。

嚴顏堅守不戰。

老匹夫，快出城來會我！

張飛幾次衝到吊橋下，均被亂箭射回。
張

傍晚，張飛只得收兵回寨。
張

第二天，張飛又去攻城。

賞他一箭。

你這老匹夫，看我抓住你，吃你的肉！
這糟老頭不出城廝殺，怎麼辦？我得想個計策！

張飛急忙閃身，那箭正中頭巾上。

一連幾天，任憑張飛叫罵，嚴顏堅守不戰。
張

拿酒來！

張飛把精兵伏在營中，派一些老弱殘兵前去罵戰，嚴須仍不出戰。

你們分頭上山砍柴，並設法尋找越過巴郡、直達雒城的小路！

張飛連喝幾杯悶酒，又想出一條計策。

幾個川軍喬妝改扮，
混到山上砍柴。

你們扮成荊州兵，去探明張飛在搞甚麼鬼？
是！

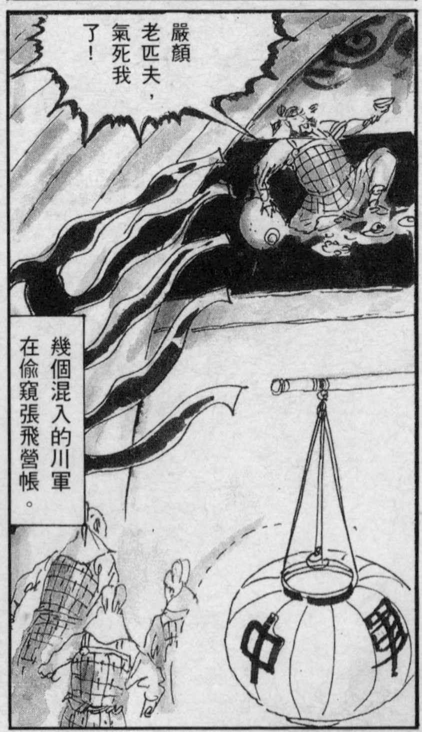
嚴顏老匹夫，氣死我了！
幾個混入的川軍在偷窺張飛營帳。

傍晚，他們又混入張飛營中。

你們找到越過巴郡的小路嗎？
找到一條小路。

好！今夜三更，我在前面開路，全軍偷渡巴郡！

中軍曉諭各營。
張將軍有令，二更造飯，三更起行！

幾個川軍回城向嚴顏稟報。
張飛……

哼！我去劫他的糧草輜重，教他過不去！

三更過後，果然見張飛帶着隊伍來到。
張
嚴

嚴顏帶兵出城，在小路兩旁林中埋伏！

出擊！

殺啊——殺！

過了一會，後面的糧車來了。

嚴顏一馬當先，截住張飛後軍。
哈哈！剛才是假張飛，我才是眞的！看招！
啊！怎麼又是一個張飛？
鏘！鏘鏘！
老匹夫來得好，我正等你呢！

張飛活擒嚴顏。

張飛殺進城去，
奪下巴郡。

張
張
川兵紛紛投降。

把嚴顏押上來！

大軍到此，你爲甚麼不投降？

你們不顧信義，出兵侵犯！我們西川只有拼死相搏，沒有投降之理。

推出斬了！

要殺就殺，耍甚麼脾氣！

張飛上前，親自給嚴顏鬆綁。

嗨！還是條硬漢！我得收服他！

將軍如此厚愛，我願意追隨將軍。
好！好！

老將軍眞是英雄，十分敬仰。剛才有所冒犯，請勿見怪！
張飛扶嚴顏上坐、跪拜。

這裏到雒城的關隘都歸我管，我叫他們全都投降。
那太好了！
張飛和嚴顏商量進兵之計。
他們一路招降過去。
嚴

一路關隘很多，三弟怎麼來得這樣迅速？
哈哈！軍師還沒到，被我得了頭功！
到達雒城外。

劉備脫下身上黃金鎖子甲，送給嚴顏。
沒有老將軍，我弟怎能到此！
這都是嚴老將軍的功勞……

劉備、張飛急忙率軍前去救援。

報！黃、魏兩將軍被川將夾攻，抵敵不住，奔東去了！

吳懿、劉璝嚇得退回城中。

吳蘭、雷同率部投降。

第二天，張任又領兵出城挑戰，張飛出馬應戰。
張
張
張任詐敗，把張飛引入埋伏圈。
吳懿率伏兵殺出。
張飛，你逃不了啦！

常山趙子龍來也！
這時，趙雲率兵趕到。
張任急忙逃回城去。
趙雲只一個回合，活擒吳懿。
張將軍勇中有謀，竟比我們先到，頭功！頭功！
哈……哈……

八

計捉張任

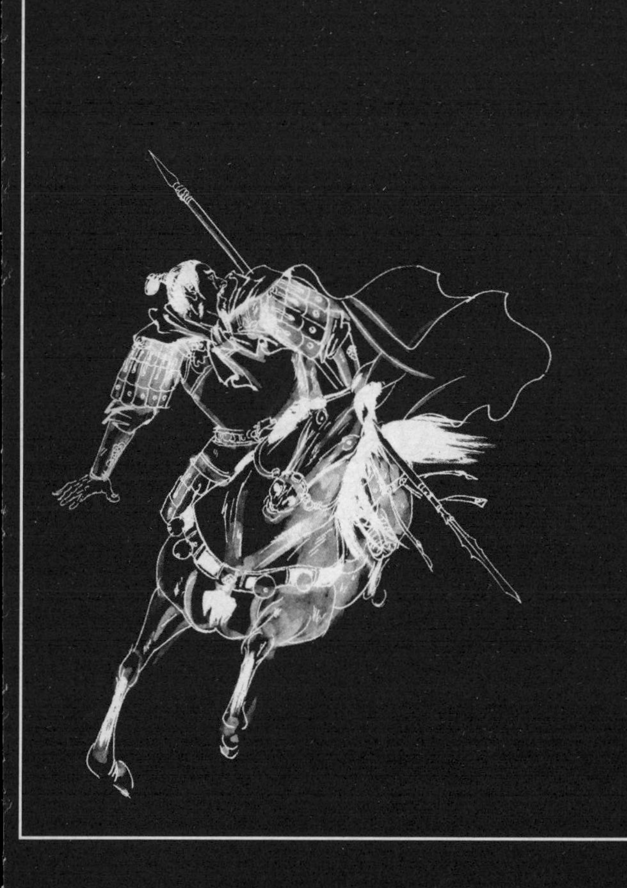

神機妙算並非從天而來

劉備得知張飛和趙雲兵分兩路，而目標都是雒城，便也領軍離開涪城，朝雒城進發。

張任三度出城戰劉備

張飛由於得到嚴顏的幫助，行軍的速度較趙雲快，也較早與劉備會合。不過，即使他們後來再加上了趙雲，還是對付不了雒城的張任。據同是蜀將但已投降給劉備的吳懿稱，張任「極有膽略，不可輕敵」；事實上，張任在雒城，也並非閉門不出，他起碼是三度出城，一次幾乎追得劉備走投無路，另一次則使魏延和黃忠落敗而逃，還有一次使張飛進也不是退也不能。

張任無疑是具備了膽略的，可是，劉備的軍師孔明未到，也是他能活躍與主動的主要原因。

孔明處處掣肘着張任

孔明到達之後，首先了解情況，然後決定：先捉張任，然後取雒城。雒城的城東有一座橋，叫金雁橋，孔明細細在周圍看了一遍，接着便作了有關捉張任的部署。

孔明的部署是，他負責以激將之策把張任引出來，然後趙雲便把那橋給拆了。張任出來之後，劉備和嚴顏

的軍隊一左一右的殺將過來，張任看見背後的橋給拆了，無法退回城去，可是隔岸的左右方又有趙雲在把守，便只好望南邊走。

走不了多久，路的兩旁長滿了蘆葦雜草，魏延和黃忠早就各領一軍，埋伏在那兒，前者只是刺戳馬匹上面坐着的兵將，後者則專門砍剁兵將的坐下馬。

原本不新鮮卻能收效

張任大敗而逃的時候，被張飛截住了退路，一下子便被擒了下來。

我們固然可以說，孔明捉張任，是手到拿來，在孔明面前，張任是一籌莫展；可是，更準確的說法應該是，孔明是經過了一番計算，才使得張任在他的股掌之中。

激將法，本來不是新鮮的東西，然而不是等閒之輩的張任爲甚麼又會上當呢？

第一，孔明故意帶上一枝活像散兵游勇的軍隊，使張任產生輕敵之心，然後坐在四輪車上，對張任說：「曹操以百萬之衆，聞吾之名，望風而走；今汝何人，敢不投降？」他抬出了曹操，目的就是使張任更加的不服氣，於是一下子便衝了出來。

趙雲與張飛用得其法

第二，孔明視察了周圍的地形，善加利用。「天時，地利，人和」，是三種要素，運用得好，會使我們無往而不利。就地利而言，張任久居西川，應該是較孔明熟知得多的，但無論如何，孔明不能不多作了解，否則便用不上那蘆葦雜草了。張任即使曉得甚麼地方有蘆葦蒹葭，但情急之下，便也顧不上了。

第三，孔明用人得法。其中，最值得一說的，就是趙雲和張飛了。趙雲守着北岸，張任知道趙雲的厲害，所以不敢朝那邊跑而轉向南，這便完全合了孔明的計算。還有，最後以張飛來捉無路可走的張任，孔明也是考慮到「窮巷之犬」的效應，以勇張飛來對付之，當不會有失。

孔明看似手到拿來，其實那是在做對了許多事之後才有的必然結果。

吳懿，你願投降嗎？
願降。

城中有甚麼人守城？
有三將。劉循、劉璝無能，張任極有膽略。
好！那就先捉張任，再破雒城。

劉備親自給吳懿解綁

諸葛亮來到城東金雁橋察看地形。

魏延率兵埋伏在橋左。
是！

張飛埋伏在山南小路。
是！
趙雲埋伏在橋北，等張任一過橋，即將橋拆斷！
是！

黃忠率兵埋伏在橋右。
是！

諸葛
孔明
諸葛亮帶着一支
軍容不整的人馬，
來向張任挑戰。

張任出城迎戰。
殺過去！
抓住諸葛亮
有賞！
張

傳說
諸葛亮善
於用兵，
原來有名
無實。

衝啊
殺啊

諸葛亮，
你往哪裏逃？

諸葛亮丟了四輪車，上馬便逃！

張任追過金雁橋。

劉備、嚴須率軍殺出。
張任，你中我軍師之計了，快投降吧！
轟！轟轟！
快退兵！
啊！不好！橋被拆了！

張任只得沿河往南奔逃。
魏延黃忠左右夾擊，打得川軍落花流水。
黃
魏
張

張任，你跑不了啦！
張任帶着殘兵，逃向山南小路。
張
只幾個回合，張任被捉。
我跟你拚了！

張飛把張任解往大寨。

諸葛亮乘勢攻下了雒城。

劉循逃回成都，向劉璋稟報。

劉璋急召羣臣商議。

益州太守董和勸劉璋向張魯借兵。
他和我有仇，怎肯相救？

唇亡齒寒，張魯會借兵的。
好！試試吧！

九

取成都

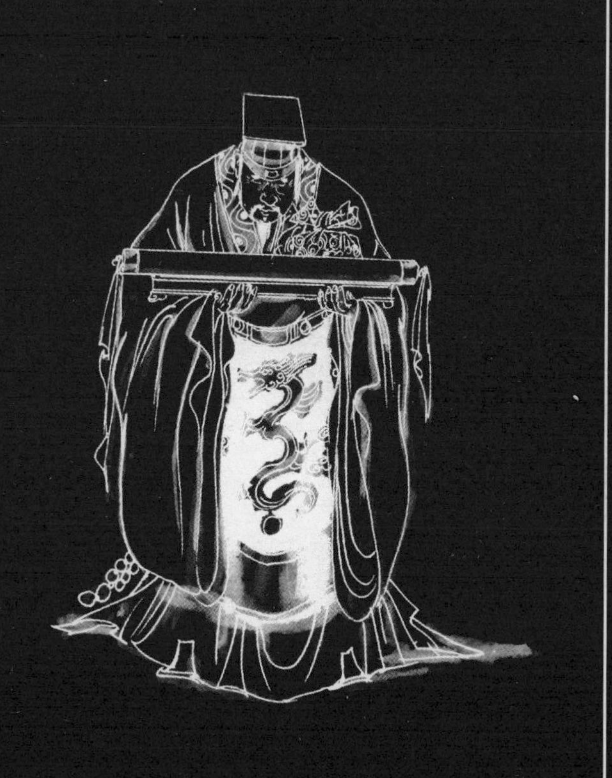

得手以後的難題

劉備取西川，最爲關鍵的，就是取得成都，倘成都在手，則大局已定。

馬超進退兩難投劉備

我們知道，劉備在取得成都之前，曾經做過許多事情，但最重要的，就是收服馬超。

成都的劉璋在危急之中，無計可施之時，曾向張魯請救兵，張魯便派出馬超領軍而去。在這個過程中，張飛曾與馬超大戰三場，結果是不分勝負。接着孔明略施小計，便使馬超投向劉備。

孔明主要是利用馬超與張魯關係的不穩定，施以離間之策，張魯果然上當，不再支持馬超，斷了馬超的退路，馬超要進，面對劉備的猛將，也並不容易。在馬超進退兩難的時候，孔明派人見馬超，說明劉備愛才之意，於是一說即合。

連場大戰與兵不血刃

馬超爲報知遇①之恩，故自動請纓，要爲劉備取得成都。那邊，劉璋聽得馬超來到，還以爲那是援兵，剛剛放下心頭大石，豈料馬超是前來招降的。這便使劉璋陷於崩潰的邊沿。

①知遇：得到賞識或重用。
②方寸大亂：心緒大亂。
③兵不血刃：兵器上沒有沾血，指未經交鋒就取得勝利。

劉備知道時機成熟了，便派出使者對劉璋說，他對劉璋並沒有加害之意。劉璋本來就是一個無能之人，在方寸大亂②的情況下，有了那末的一個依托，也便開城投降了。

劉備在得到成都之前，大戰連場，可是到了最後，竟然是不費一兵一卒，便得到了最重要的成都，也就是得到了西川。是不是說，在此之前的連場大戰是不必要的呢？我們以爲，那是必要的，沒有前面的付出，便沒有了後來的順利。沒有了前面的付出，成都便不會成爲孤島；正是由於成都變成了孤島，無能的劉璋才會倒了下去，劉備稍爲安撫了他一下，也便兵不血刃③了。

婦人之仁④則難以長久

④婦人之仁：婦女的軟心腸，指處事姑息優柔，不識大體。
⑤幕賓：軍中的參謀人員。

前往見劉璋的，不過是劉備的幕賓⑤簡雍。在此之前，爲了收服馬超，孔明還差點兒要親自前往呢！一個簡雍，也便解決了劉璋。

劉備得到了成都，也就是得到了西川。不過，在得到了成都之後，他並不見得較前輕鬆。

我們且來看看，他在得到了成都之後，做了一些甚麼事情。

第一，他聽從了孔明的意見，把劉璋送去荊州。

本來，劉備聽到了孔明的這個意見之初，還是頗爲猶豫的。他的想法是，自己才剛剛得到了成都，便把成都原來的主人送走，不是會招人話柄嗎？

孔明的看法不是這樣。他說：「劉璋失基業者，皆因太弱也。主公若以婦人之仁，臨事不決，恐此土難以長久。」

兩幫人如何可以共事

孔明有着很強的洞悉能力和概括能力，一語中的。劉璋失去自己的基業，就是因爲沒有主見，左右搖擺。因爲人家說甚麼便做甚麼，或者因爲人家不喜歡甚麼便不做甚麼，那肯定是只能敗事的。

劉璋不走，成都的一些人因爲見舊主在，便沒有那末暢所欲言，或者是另有一些想法，總而言之，這對劉備都是沒有好處的。

第二，劉備自己有一幫人，劉璋那邊又有一幫人，這兩幫人怎樣才可以共事得好，這是一個大問題，而劉備馬上就去碰這個大問題。

奬賞授受兩方的學問

劉備的做法是，兩幫人都論功行賞。劉璋的一幫，嚴顏和法正所做的事最多和最有效，得到的奬賞是最多

的。而，孔明爲軍師，關雲長和張飛皆封侯，接下來的四位將軍，順序是趙雲、黃忠、魏延和馬超。

這裏面，劉備當然也是有所側重的，不過，總的來說，也是合理的。

雖然是給獎，但接受的人不一定是高興的；給獎給得不好，反而會產生負面的效果，這是屢見不鮮的。

當時關雲長還在荊州，劉備又使人送去了黃金五百斤、白銀一千斤、錢五千萬、蜀錦一千疋，以表示關雲長留守荊州的功勞。可是，關雲長卻接着來了一封信，說要入川跟馬超比試一下武藝。劉備擔心二人勢成火水，一時不知如何是好。孔明知道亂子出在甚麼地方，便給關雲長去了一信；關雲長讀了信，便不入川了。

錢財與虛名的重要性

當然，孔明不是以軍師的身分，把關雲長給壓了下去的。

孔明在信裏主要是强調了兩點，一是馬超不及關雲長的「絕倫超羣」，二是關雲長守荊州是要職，不能有失。

關雲長讀了此信，笑道：「孔明知我心也。」於是便繼續安心守荊州。

在關雲長看來，錢財與虛名，都不是那末重要的。

劉備的做法，未能針對他所希望的，所以才會提出那樣的請求。說到知關雲長的心，劉備還及不上孔明呢！

失之於柔則輔之以剛

第三，在治兵治民方面，劉備既殺牛宰馬，大餉士卒，又開糧倉賑濟百姓；他本來還想把成都有名的田宅，分賜給一些官員，可是趙雲以爲不可，應歸還百姓，只有這樣做，民心才會歸順。劉備覺得趙雲說得有道理，也聽從了他的意見。

劉備又請孔明給他定下一些法律。孔明定出的一些刑法頗重。他的根據，是剛柔相濟。劉璋在的時候，就是太柔弱：「劉璋闇弱⑥，德政不舉，威刑不肅；君臣之道，漸以陵替⑦。寵之位，位極則殘；順之以恩，恩竭則慢⑧。所以致弊，實由於此。」面對這一個情況，孔明要治以重典。只是寵，只是順，弊病就會叢生。孔明又說：「秦用法暴虐，萬民皆怨，故高祖以寬仁得之。」

失之於柔，輔之於剛；失之於剛，輔之於柔。剛柔相濟，那是要經常地加以檢討，適時地加以調節的。

⑥闇弱：愚昧懦弱。
⑦陵替：綱紀廢弛，尊卑失序。
⑧慢：怠慢，輕視。

立法執法兩者的尺度

這裏還要說一說法正。劉備給法正當上了蜀郡太守之後，法正有了權，便對昔日與他結怨的人施以報復，孔明知道了，也不加以阻止，他說，劉備往日處處受制，如果不是得到法正的幫助，又怎會得到今天的自由？同樣道理，他又怎可以限制法正今天的自由？

法正聽了，也自我收斂了。孔明是給法正一個餘地，他的想法是，法正是給壓抑得太久了，才一下子橫暴起來；從這個角度看，那是正常的，當然，他對法正的爲人與品德才智也有一定程度的了解。孔明立法者，他自然知道法正是犯了法，但在執法上，孔明也不是機械地照搬照套的。

劉備得成都與治成都，一而二，二而一，得不了成都便談不上治，治不好成都也便會得而復失，事情就是這樣的。這裏面的學問，實在太多了！

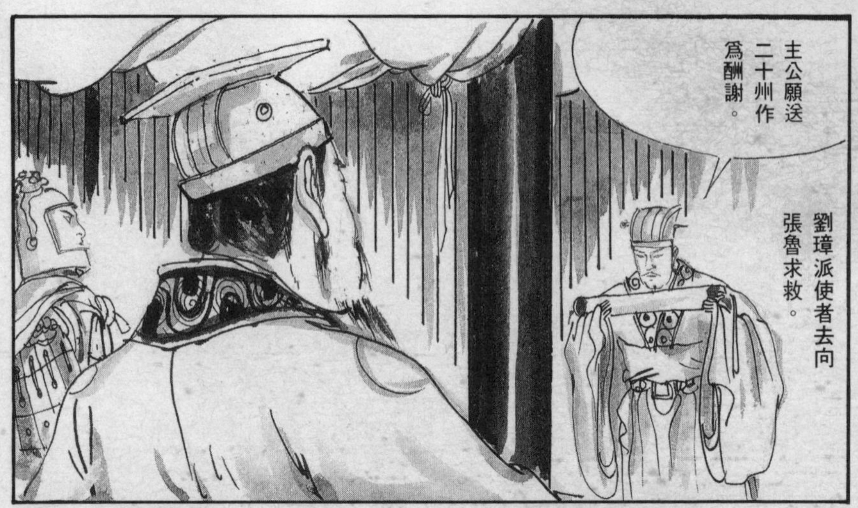
劉璋派使者去向張魯求救。
主公願送二十州作爲酬謝。

馬超願往！
馬超隴西兵敗，新近歸順張魯。
好！你帶兩萬人馬前往。

好吧！誰願領兵去救？

馬
馬超領兵攻打葭萌關！

馬超十分驍勇，誰去戰他？
我去！
報！馬超進攻葭萌關……
這時，劉備已攻取綿竹，正欲進兵成都。
劉
張
魏
劉備帶着張飛、魏延前往葭萌關。

魏延來到關下，和馬超部將楊柏交戰。
楊
魏延要奪頭功，率軍追殺。
殺—
楊柏，我來救你！
馬
馬岱率軍接應。

馬岱詐敗。
看箭！
箭中魏延臂膊。

張飛趕到，救下魏延。
張飛在此，來將通名！

你竟敢小看我！

西涼馬岱！
原來你不是馬超，快叫馬超來和我廝殺！

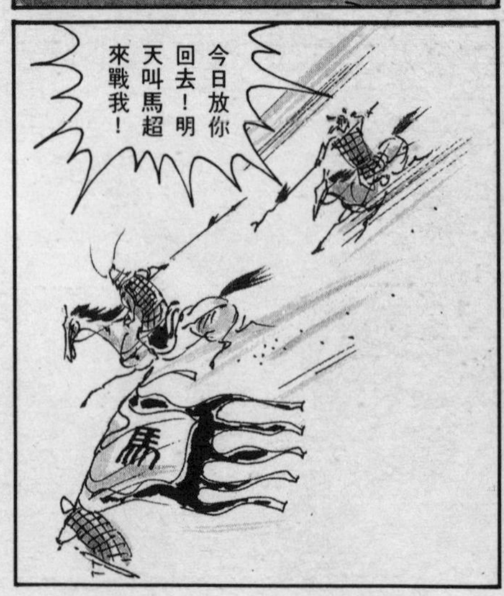
今日放你回去！明天叫馬超來戰我！

第二天，馬超來關下挑戰！
馬超英勇，果然名不虛傳！
快叫張飛下來和我打個痛快！
馬超，你認得燕人張翼德嗎？
一個村野匹夫，誰認識你是老幾？
張飛殺向馬超。
氣死我了！

眞是一對虎將。
兩人大戰一百多回合，不分勝負。
兩人又大戰一百餘回合，仍不分勝負。

天色晚了，明天再戰吧！
不！多點火把，安排夜戰！
劉備鳴鑼收兵。

我不勝你，誓不上關！
我勝你不得，誓不回寨！

戰了一夜，勢均力敵，只得各自收兵

第二天。
軍師前來，必有妙計。

兩將相鬥，必有一傷。我有一條小計，可使馬超歸降。

甚麼妙計？快快說來。

可派人結交張魯的謀士楊松……使張魯召回馬超，我再用計招降馬超。
好計！

我軍攻打劉璋，是爲你主公報仇。如撤回馬超，保你主公爲漢寧王！

劉備派孫乾來到漢中，用珠寶賄賂楊松。

劉備只是左將軍，怎能保我爲漢寧王？
他是大漢皇叔，正可保奏。

好！我立即稟告主公！

張魯立刻派出使者，令馬超休戰退兵。
馬
馬超不肯罷兵，一定是想反叛！有人說他想奪下西川，自立爲王！
張魯連派三名使者，馬超執意不肯回兵
那怎麼辦？

張魯派人來見馬超。
主公限你一個月內，一要取西川，二要劉璋首級，三要退荊州兵；如做不到，就快回兵。
主公可派人去見馬超，說……，同時令張衛緊守關隘，防止馬超兵變！
好！
楊松又散布流言
馬超回兵，一定懷有異心！
怎麼會變成這樣，回兵算了！
馬超回兵受阻關隘。

現馬超正在進退兩難之際，我親自去勸他前來歸降。
這太危險了，你不能去！

我和馬超有一面之交，願代軍師一行。

主公放心，不會有甚麼危險的！
不行！我決不讓你去！

那太好了，你準備如何勸他呢？

如此這樣……

好！你速速動身！

李恢出關而去。

馬超營寨
報！李恢求見！

他一定是來作說客的，請他進來。

你來幹甚麼？
特地來請將軍棄暗投明！

你們埋伏好。我一聲令下，你們立即動手把他砍爲肉醬！

將軍大禍就在眼前，還是自己試試你的劍吧！
我的寶劍很鋒利，你想試試嗎？
我有甚麼大禍？
你說得對，但我現在怎麼辦才好？
將軍前不能救劉璋退荊州之兵，後不能制楊松回漢中，進退無路；如再打一次敗仗，張魯豈能饒你？

馬超十分羞愧，把刀斧手喝退。
你既然相信我的話，爲甚麼埋伏了刀斧手？
劉皇叔禮賢下士，一定能成就一番事業；況且他是你父親的朋友，只有投靠他，你才有出路！
好！我聽你的！

當夜，馬超跟
李恢上關投順！
歡迎將軍
歸順！

遇到
主公，
眞如撥
開雲霧，
見到天日！

劉備留霍峻、孟達
守葭萌關，自己引
兵回到綿竹。

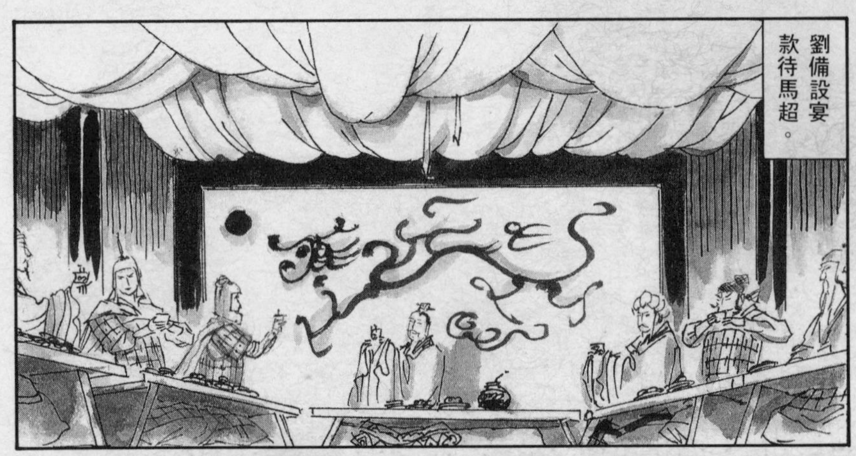
劉備設宴
款待馬超。

報！
蜀將
劉峻、
馬漢在
城外討
戰。

我去
應戰！

趙雲率軍出城，
立斬二將。

子龍
眞是虎
將！

劉備和衆將商議如何攻取成都。
我去勸劉璋投降；如不肯降，我和馬岱攻下成都，作爲進見之禮。

好！你帶人馬先行！
是！

馬超、馬岱領兵向成都進發！

報！馬超領兵來到城外。
張魯派馬超前來相助，太好了！
請劉璋答話！
馬將軍，是張魯派你來相助的嗎？
張魯聽信讒言加害於我，我已歸順劉皇叔，你快開城投降！

主公，你醒醒！你醒醒……

啊——

劉璋無力抵抗，只得開城投降。
馬
馬

大勢已去，不如開城投降，免得百姓遭殃！

劉備率軍進入成都，百姓夾道歡迎。
劉備給劉璋一顆振威將軍印，讓他遷到南郡去住。

劉備佔有西川，做了益州州牧，有了自己的地盤爲建立蜀國奠定了基礎。

十 單刀赴會

懾人氣勢的內裏玄機

孫權念念不忘劉備說過得了西川便把荊州歸還的事，他見劉備已經得了西川，便要把荊州取回。

得了西川也還要荊州

孫權的東吳有一大片土地，自然不欠一個荊州；劉備得了西川之後，也不必再以荊州爲基地了。可是，孫權就是要把荊州取回，而劉備也是執意①地要保有荊州。

這是甚麼原因呢？說穿了，那就是因爲兩者都有很大的野心，孫權看的不僅僅是東吳，劉備要的也不僅僅是西川，在這末一個基礎上，多一個荊州，自然是好事而不是壞事了。

孫權說荊州是借給劉備的，自有他的道理；另一方面，劉備儘管不能說不還，卻是想方設法，一再拖延。

不討回荊州更有大利

孫權派孔明的哥哥諸葛瑾入川，說一家老少都給孫權抓了起來，劉備不還荊州，便會累及他的一家。這是向孔明施壓力，然後由孔明向劉備提出，把荊州歸還給孫權。劉備要倚重孔明，孔明說出了口，劉備便不能不認眞考慮；如果劉備這樣也不考慮，那末他對孔明恐怕

便不會像以往那樣合作無間了。無論如何，這對孫權都是有利的。

其實，倘若孫權是再高明一些的話，根本不必急於討回荊州，而是着眼於利用荊州做一些事情，那樣所得的好處可能更大。只是，他沒有意識到這一點，我們可以說，這是他的局限。

以哭訴化解孫權來勢

孔明完全知道兄長的來意，於是，他也向劉備哭訴，希望劉備交還荊州，但在此之前，他已經與劉備合計，讓劉備把交還荊州與否的責任放在關雲長的身上。

孔明這樣做，便完全化解了孫權的來勢，使孫權無法怪罪於諸葛瑾，因爲，問題只在劉備身上，甚至或者說，問題只在關雲長身上了。

孫權的焦點果然因此落在關雲長身上。在他的催逼下，魯肅在陸口設宴，請關雲長赴會，再在宴會上提出交還荊州的事，如關雲長不從，便由埋伏的人把關雲長給殺了。

單刀而來卻乘風而去

關雲長只帶着幾個隨員便赴會去了，關平則帶着水兵五百，在江邊守候，以便接應。

在宴會上，關雲長的氣勢一直都壓着魯肅。到了後來，他更是假裝喝醉了酒，脅持着魯肅走到船邊，讓自己上了船，乘風而去，孫權那邊的人完全處於被動的局面，受制於關雲長。

在關雲長的身上，自有一股懾人的氣勢，成爲了他的助力。這股懾人的氣勢，並非與生俱來，而是來自一次又一次的煉歷。這次單刀赴會，肯定使關雲長又多了一次煉歷，使他變得更加的懾人。

氣勢與人數成了反比

「一夫當關，萬夫莫敵」，關雲長有着這樣的能耐，不過，這能耐卻不是關雲長所獨有的，我們如果像他那樣，也來接受一次又一次的煉歷，說不定也會有那樣的能耐。

事情往往也就是這樣的，如果關雲長不是單刀赴會，而是帶着一大隊人馬前往，那股氣勢反而會大大地下降。氣勢有時就是與人數成反比的。

西川的孔明使孫權碰了個軟的，荊州的關雲長卻使孫權碰了個硬的，相同的是：孫權吃力而不討好。

甚麼妙計？
我有一計，可不動刀兵，讓劉備雙手奉還荊州。

劉備許諾取了西川，還我荊州；如今他已得西川，仍不還荊州，怎麼辦？
孫權召張昭、顧雍等商議。
可把諸葛瑾的家屬拘住，派他去討荊州，諸葛亮念兄弟之情，定會答應。

好！就這樣辦！

諸葛瑾是個誠實君子，怎好爲難他？
讓他知道這是計策，他自會放心！

諸葛瑾在途中。

第二天，孫權依計召見諸葛瑾，派他去討荊州。

你知道你兄長的來意嗎？
來討荊州。

到達成都郊外，諸葛瑾派人進城通報！

只要……
怎樣回答他？

諸葛亮立刻寫了一封信，派人送給關羽。

好計！

諸葛亮又親自出城迎接諸葛瑾。

兄長爲甚麼如此悲傷？
來到住處，諸葛瑾忽然放聲大哭。

我一家老小都完了！
他把家屬被拘之事告知弟弟
嗨！沒想到這一招還眞有用！
我連累了兄長，心中很不安。你放心，我一定請主公歸還荆州。

諸葛亮帶着諸葛瑾來見劉備。
這是我主公給皇叔的信。
孫權拘了我兄長全家老小，請主公看我薄面，歸還荊州。
孫權趁我不在荊州，騙走了我的夫人，我正要發兵討伐，他還敢來要荊州！

主公，請給我留個面子吧！

孫權做得太絕，我不還！

請主公寫封交割文書給雲長，命他讓出三郡。
好吧！

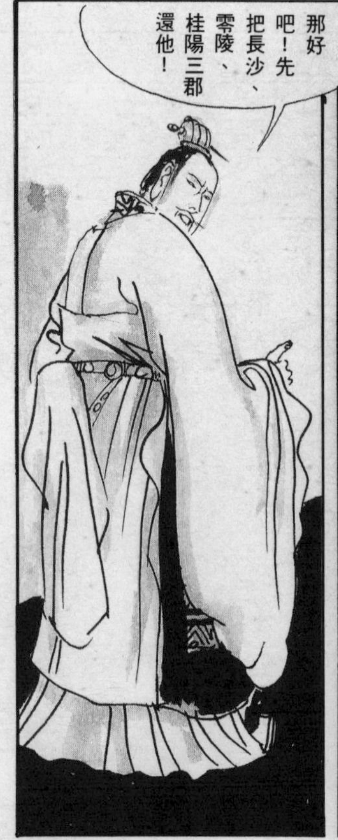
那好吧！先把長沙、零陵、桂陽三郡還他！

我二弟脾氣暴烈，你要好好跟他說……

諸葛瑾來到荊州求見關羽。
關

皇叔同意歸還三郡，請將軍即日交割！

這是孫權的詭計，怎麼瞞得過我？
吳侯扣押我全家老小，望將軍可憐！
住口！這劍可沒甚麼情面！

三郡都是大漢疆土，豈能送給東吳？
將軍怎能如此不講情面？

諸葛瑾只得到成都來見劉備，說了情況。

我要見軍師！
軍師出巡去了。
我二弟性子犟，一時講不通。請你先回東吳，等我取了東川，把二弟調回，再歸還荊州吧！

諸葛瑾無奈，只得返回東吳。

恐怕這都是諸葛亮的計策。
不是！我弟弟再三哀求，劉備才答應先還三郡，可是關羽不肯。
主公，……
那好！你把家眷帶回去，我馬上派人去接收三郡。

幾天後，派去接收的人都被趕了回來。
主公，關羽不肯移交！

孫權把魯肅召來。
你作保劉備得了西川便還荊州；如今劉備失信，你怎麼說？

氣死我了。

我已想出一個計策。
甚麼計策？

我請關羽到陸口相會，當面向他討取。

他若不答應呢？
不答應就殺他！

他若不來呢？
如果不來，我們出兵進攻，就師出有名！

好！就這樣辦！

主公，關羽是當今虎將，萬一不成功，怕反遭他害！

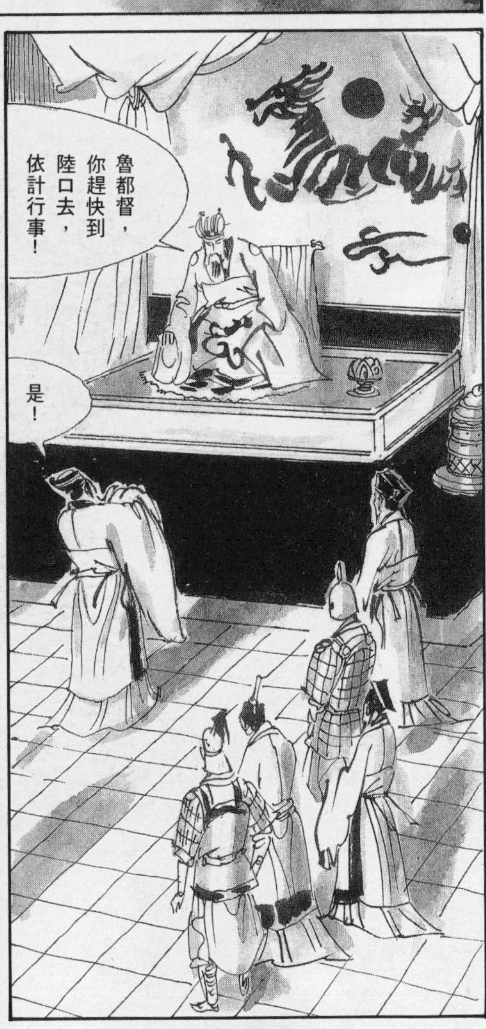
魯都督，你趕快到陸口去，依計行事！
是！

要是這樣畏首畏尾，荊州何時才能要回！

魯肅趕到陸口，召守將呂蒙、甘寧商議。

魯肅寫了請柬，差一個能言善辯的人送給關羽。

可在陸口寨外臨江亭上設下筵席，請關羽前來相會！
好！

使者來到荊州江口。
奉魯都督之命，給關將軍送請柬。

你們是幹甚麼的？

關平帶着使者來見關羽。

告訴魯都督，我明天便過江相會！你先回去吧！

我怎能不知？東吳討不到三郡，所以屯兵陸口，約我前去相會，目的是討還荊州。我不去，他們會說我膽怯！

魯肅相邀，一定不懷好意，父親爲甚麼答應前去赴會？

哈——哈！明天我只帶十幾個隨從，單刀赴會，看魯肅能把我怎樣？

我在千軍萬馬之中，如入無人之境，難道會怕幾個江東鼠輩？
父親前去，太危險了！

魯肅是個老實人，但逼急了，難保沒有詭計，將軍還是不去的好！

他們就是耍詭計，我也不怕！況且已經答應，豈能失信！

將軍即使要去，也要有個準備！

好吧！平兒，你挑十隻快船，五百精兵，明天在江邊等候，看到對岸大旗招展，過江接應！

是！

都督，關羽一口答應明日前來赴會。
呂將軍，現在怎麼辦？
關羽如帶軍隊來，我和甘寧各帶一軍在岸旁埋伏，放炮爲號，準備厮殺。

好！就這樣辦！

在亭外埋伏五十名刀斧手，他如不肯歸還荆州，便在席間動手。
如果他不帶軍隊呢？

第二天，魯肅安排停當，便到江口遙望。
東吳
關

關
船漸近岸。

雲長大駕光臨，歡迎之至！
關羽身旁周倉持刀侍立。
承蒙相邀，不勝高興。
子敬兄，你我一別數年，想不到直到今天才有興見面！
彼此彼此，我也已老了。
是呀！光陰似箭，你倒不見老，我卻已老了！

今日都督相邀，不知有何見教？
兩人客套幾句，並肩往臨江亭來。

孫劉友好，令曹操不敢小覷。我在臨江亭設薄筵，向將軍略表敬意。

請！
請！

關羽談笑風生，旁若無人，一時驚得魯肅不敢開口。

這是國家大事，不是酒席上談的。
酒至半酣。
當初我作保，把荊州借給皇叔。現你們得了西川，理應依約歸還！不然，豈非失去信用？
當初赤壁之戰，我們出了這麼大的力，佔有荊州是完全應該的，沒理由要還給東吳！
皇叔已答應先還三郡，可將軍堅持不交，道理上恐說不過去吧？

可當初說清是借，借而不還，豈不惹天下人恥笑？

這是國家大事，要你插甚麼嘴，出去！
天下的土地，誰有德就歸誰，憑甚麼要還給你們？

周倉心中明白，到江邊揮動大旗。
關

關羽裝醉。
都督，我醉了！你送我回船，改日回請，再談歸還荊州的事吧！

關平率快船過江而來。

魯肅被關羽扯到江邊，呂蒙、甘寧想要出兵攔截，又怕傷了魯肅，只得按兵不動。

魯肅呆立江邊，眼睜睜望着關羽離去。

多謝都督盛情，改日再見！

好吧！只有這樣了！
只有去稟告主公，起兵與關羽決戰，奪回荊州。

這條計策又失敗了，怎麼辦？

主公，……

報！曹操率三十萬大軍前來討伐！
立即起兵，討伐關羽！

孫權無奈，只得丟下荆州，移兵合淝、濡須，抵拒曹操。